모래시계 간이역

정민기 시집

시인의 말

간이 의자 같은
구름이 떠 있는 하늘 아래
사랑이 멈추지 않는
내 마음도
또한 간이역인가 보다.

2024년 5월
정민기

차례

꽃나무 가지에 봄비가 지고 있다

꽃나무 가지에 피어난 봄비가
그리운 사람의 눈물처럼 지고 있다
담쟁이넝쿨처럼
온통 푸른 생각으로 뻗어 나간다
누군가를 감싸안은 보자기 같은 안개가
내 몸을 차갑게 감싸안고 있다
물풍선 같은 비구름이 터지자 쏟아지는 사랑
꽃향기가 이끄는 곳에 나비가 있었다
봄비는 지고
생각난 듯 다시 피어날 것 같기만 한데
바닷가 갈매기 끼룩끼룩
조업하는 어선 몇 척 그물 심는 소리처럼
철썩철썩 다가와 그 마음 짜디짜다
온몸에 바닷물이 스며들고
내 몸은 기다릴 사이도 없이 절여지고 있다
낮달에 담긴 물을 마시고 싶은 날

별똥별 눈물처럼

어릴 적 기억 하나 떠올려 보려다가
별똥별 눈물처럼 주르륵 떨어진다
한봄의 아지랑이로 아른아른 헤맨다

꽃 등에 업힌 나비 어디로 날아갈까
접었다 펴는 날개 꽃향기 찍어 내네
저 물 녘 실루엣 하나 파노라마 노을빛

붉은 담장에 붙어사는 담쟁이넝쿨

저 붉은 담장 너머에는 누가 살아갈까
담장에 붙어 한 뼘씩 뻗어 나가며
궁금증으로 담쟁이넝쿨은 살아가고 있다
기울어 가는 해처럼 불어온 바람 따라
모든 것이 기울어 가려고 한다
아침의 숲으로 너무 깊이 들어와 버렸다
새소리를 들이마시고 나니 상쾌한 이 기분
떠나보내기 싫어서 꼭 껴안고 있다
자꾸만 그대의 마음에서 이탈하고 싶다
이미 져 버린 꽃들이 뒹구는 거리에서
붉은 담장은 그리 멀지 않은 곳에 서 있다
노을을 펼쳐놓고 저녁을 먹는 사람들
담장의 붉은 영혼을 노을이 가져가는 걸까
어느새 세월 속에 빛바랜 담장의 만춘
꽃들의 장례식장에 가는 봄바람과 부딪히고
머리에 도깨비 뿔을 붙여 돌아다녔다
너에게 가는 길은 지도에도 없어서 헤맨다
붉은 담장 아래 쪼그리고 앉은 민들레

면도하는 아침

생크림이 입가에 달라붙은 것도 모르고
거품을 일으킨 듯
콧수염과 턱수염을 깎고 있다
하늘도 구름 거품 뭉개지는 것을 보니
깔끔하게 면도라도 하는 것 같다
열린 창문으로 햇빛이 기웃거리고 있다
신기한 것은 하나 없다고 하는데도
막무가내로 얼굴을 들이밀며 들여다본다
수염이 자란 만큼
세월도 어느 구간을 지나가고 있다
틈만 나면 피어나는 민들레보다 더 집요한
이 턱수염은 고드름처럼 매번 자라난다
그리움을 전하는 참새 소리 끌어다
놓은 아침이 나뭇잎으로 흔들리고 있다
황혼의 시절이라도 이처럼 덜렁거린다면
박쥐처럼 이것도 아니고 저것도 아닐 것이다
수염이 머물다 가고 난 자리 허전해진다

누군가에게 기대어 살아간 적

누군가에게 기대어 살아간 적 있었나
어떤 그림을 들여다보다가
그림의 떡처럼 생각날 때가 다 있다
바람은 명령하듯 우렁차게 불어오는데
언젠가는 기다려 봐도 좋을 듯한
그 사람이 원하는 그림자를 찾고 싶다
푸른 잎 같은 마음을 오래 간직하고
상실하는 나뭇잎 배를 강물에 띄운다
낮달 한 봉지를 뜯다가 놓은 하루
기다림의 끝은 순진하게도 노을이 진다
밀물처럼 밀려오는 졸음에 꾸벅꾸벅
때아닌 방아깨비가 방아를 찧는다
헤어지지 않는 밤이 짤막하기만 하다

낮달 감상

등 굽은 나무 같은
낮달이 허옇게 떠

가만히 지난날을
돌이켜 생각하면

미련도 후회도 없다
아쉬움도 저 멀리

푸른 양철 대문

오래된 후미진 골목을 읽다가
졸린 듯 반쯤 감긴 눈으로 주변을 살핀다
눈에 채 다 들어오지 못한
푸른 양철 대문이 떡하니 버티고 서서
덤벼보라는 듯 철썩거리고 있다
갈매기라도 끼룩끼룩 헤매는 울음소리
들려올 것만 같아 해변인 듯 털썩 주저앉는다
결국 이 자리에서 길을 잃고 마는 걸까
바람은 불어온 반대 방향으로
기차처럼 덜컹거리면서 불어 가고 있다
모든 이별은 당연하게도 슬픈 별똥별인가
나비처럼 나풀거리는 잎새의 시간
푸른 양철 대문 저 안쪽에서 쪽배처럼
어기적어기적 걸어 나오는 나이 든 사람
움직일 때마다
오른손에 잡은 지팡이로 노를 젓는다

오랫동안 한 생각은

오랫동안 한 생각은
남몰래 오랫동안 한 생각은 속수무책으로
나머지 날들을 생각하기에 이른다
모든 것이 첫날처럼 느껴져서
그것이 첫사랑이라면 더는 기다리지 않겠다
풀꽃을 내려다보다가 하늘을 올려다보니
구름 두 마리 나란히 어슬렁거린다
어느덧 그 여자의 집 앞,
첫눈처럼 빵 부스러기가 떨어지고 있다
그리운 냇물에 앉아 손을 담그다가
떠나는 바람의 뒷모습을 물끄러미 쳐다본다
울다 잠든 밤이 많았던 나날
수많은 별이 되어 반짝거리고 있다
꽃잠 속에 나도 모르는 사이 빼앗긴 꿈들
숲은 새소리를 끄고 날려 보낸다

꽃이 진 봄꽃 나무

봄꽃 나무는 꽃들의 형장인가
나뭇가지에 맑은 눈동자로
꽃샘바람을 잠자코 기다리는 동안
눈물 같은 향기를 내뱉었던 나날
그들의 자리가 아직도 향기롭다

어청도 등대

전북의 군산시에 어청도 등대 하나
맑은 물 거울 같아 어청도 이름 지어
갈매기 끼룩거리며 날아다닌 바닷길
등대로 불 밝히어 어두운 밤을 적셔
헤매는 바닷바람 가는 길 환해지고
방파제 날름거리며 바닷물을 적시네
하늘에 방목하는 구름이 뛰어놀다
어청도 등대 보는 눈빛이 순박하네
회초리 철썩거리는 아픔에 핀 소금꽃

모래시계 간이역

기차가 서지 않는 모래시계 간이역
역과 역을 잇는 철길 가에는
가을마다 코스모스가
추억을 되새기느라 한들거리고
한 편의 시를 쓰듯 서걱서걱 지나가던
기차는 어느 역에서
짖지 않고 얌전하게 엎드려 있을까
입안에서 부스러지던 삶은 달걀
톡 쏘는 청량한 사이다는
또 어느 기찻길에서 덜컹거리고 있나
기적 소리는 어두운 터널 속에서
그리움에 목청껏 메아리친다
강물처럼 흘러간 세월 탓이기도 하겠지
눈먼 기차는 녹슨 기찻길이라도
추억을 향해서 한달음에 달려가고 싶다
그 간이역 앞 다방은 아직 늠름한데
마파람에 게 눈 감추는 듯
세월은 지친 기색 하나 없이 빠르다
기찻길 축축하게 적신 꽃이 흘린 향기
더는 마음 아프고 싶지 않아서

돌아본 적 없는 모래시계 간이역
사랑처럼 눈앞에서 차츰 멀어지고 있다

날씨

이어서 날씨 전해 드립니다

 하늘이 먹구름으로 문신을 한 오늘은 전국적으로 비가 내리겠습니다 바람도 거세어 나뭇가지를 붙잡은 나뭇잎도 서로 박치기왕처럼 박치기할 것으로 예상합니다 문득 어느 사찰에서 들려오는 맑은 풍경 소리처럼 싱그러운 봄날입니다 하늘이 얼굴에 먹구름을 잔뜩 바르며 장난치는 하루가 되겠습니다 저는 지금 어느 시인의 개인 시화전이 열리는 전시장에 와 있습니다

 이상으로 날씨 전해 드렸습니다

등나무꽃 한 점 내게,와 준다면

연한 보랏빛 머릿결 늘어뜨리고
도대체 누굴 기다리고 있을까
가만가만 걷던 구름도 잠시 쉬었다 가는
오후의 봄 햇살이 한가롭게도 따숩다
인적이 드문 한적한 들길을 거니는
봄바람의 손을 잡고 함께 하는 이 길에
등나무꽃 한 점 내게 와 준다면
기약 없는 서녘 노을만 하염없이 바라보지는
결코 그렇게 하지는 않았을 것인데
인정 없는 나비만 온종일 나풀거리며
꽃들의 머리를 좌우로 흔들어 놓고 있다
봄비 내리던 스산한 저녁이 가고
언제 그랬냐는 듯 새 아침이 밝아오는데
능청스럽게 내리는 햇살에도 못내 아쉬워
새를 데려와 매번 간절하게 울어댄다
등나무꽃처럼 화끈한 아름다움 어디 없나
풀잎인 듯 허리 꺾인 시간을 모으며
일에만 열중하는 저 밭고랑의 출렁거림!

여우 같은 여자들의 눈빛이 반짝거리는 밤

여우 같은 여자들의 눈빛이 반짝거리는 밤
창문을 열고 동아줄처럼 내려오는
달빛을 붙잡고 싶은 감정을 어둠으로 누른다
적당한 속도로 나아가는 자동차 불빛
그들은 굶주린 늑대처럼 눈을 부라린다
금이 간 사랑마다 민들레가 가부좌를 틀고
소리 없이 불어오는 바람을 맞고 있다
한 장의 마음으로 철썩거리는 늘 푸른 바다
둥지에 한 그릇 밥처럼 담긴 제비를 본다
찬란하지도 않은 인생의 정류장에는
사랑이 잠시 멈췄다가 이내 서둘러 달려간다
거대한 빌딩 같은 슬픔이 파도처럼 밀리면
내 울음을 들어주는 미역귀라도 떠밀려 올까
빗물로 가슴을 말끔하게 씻어 내리는 오후
너는 어딘가로 바삐 흘러가는 강물인 것 같다
인생의 절반까지 밀치고 들어온 간절한 사랑
자꾸자꾸 너는 마음을 저울질하기만 한다

가장 더운 여름이 오고 있다

가장 더운 여름이
가만히 서투른 몸짓으로 오고 있다
순하디순한 물길처럼
그리움이 촉촉하게 스며든다
이렇다 할 정다운 눈빛이라도 하나 없이
고통 없는 몸부림으로 흔들리는 풀잎
저녁노을에 다 녹음할 수 없는 새의 노래
눈부심 저 끝에는
항상 너의 눈빛이 아른거린다
반주 없는 노래처럼 하루해가 지는 시간
꽃이 향기로 추억을 되새기고 있다
철쭉 얼굴은 진달래를 많이도 닮았구나
담장에 달라붙은 넝쿨의 푸른 비명
단추처럼 떨어진 나뭇잎 한 장 주워서
손바닥에 살며시 올려본다

경주 농가 맛집 고두반

경상북도 경주시 대기실3길,
경주 농가 맛집 고두반

불어오는 바람 따라
구름처럼 느긋하게 산책하다가 한적한
농가에서 마주친 이 맛집은
무슨 배짱을 가지고
하루하루 예약제로 운영하나, 싶기도 한데
이미 맛집으로 소문난 마당에
한 끼 식사라도 하고 가는 사람들
기대하지 않은 별미를 입안 가득 넣었겠지

고두반 밥상 한 상 받아놓기가 바쁘게
금세 뚝딱 비우고
창밖 흘러가는 구름처럼 머뭇머뭇
한가로운 기다림이 있는
커피 한 잔의 여유를 만끽하고 있다
고두반 수라상 받아보기는 틀린 것 같다

나비

쪽지 한 장 꽃잎에 날아와서 앉는다

한곳에 뿌리내린
간절한 기다림이

한순간 환한 향기로
삽시간에 컷! 컷!

구두를 벗어 들고 꽃길을 걷는 여자

구두를 벗어 들고 꽃길을 걷는 여자

도로명 주소 하나
없는 길 향기롭다

누군가 뿌려놓은 꽃씨
땅속에서 환승했네

꽃처럼 수평선에 피어난 낙조 보며

한동안 긴 머리를
날리고 날리다가

바람을 멀리 보내고
파도처럼 달려가네

아카시아를 낭송하는 봄바람

키다리 아카시아가
나뭇가지에 아카시아꽃을 펼쳐 놓자
봄바람이 무대에 올라
향기를 들이마시며 아카시아를 낭송한다
간간이 물결치듯 출렁거리는 꽃잎
초대받은 햇빛은 맨 앞에 쪼그리고 앉아
모자이크라도 하는 듯
흩어진 나비를 하나하나 불러 모은다
포근한 바람이 흘러온 발원지는 어디인가
메말랐던 하늘에 구름이 졸졸 흐른다
각자 자유 시간을 갖고 산책하던 향기가
스멀스멀 돌아오는 저녁
경청하던 햇빛이 꾸벅거리며 졸자
시 낭송을 마친 봄바람이 볼을 꼬집는다
한순간 소멸하고 마는 햇빛
언젠가의 기억이 다시 잊혀 간다

나로도 수산물 백화점

전라남도 고흥군 봉래면 축정2길,
청정 해역 나로도 바다에서
갓 잡아 말린 건어물이 진열된
나로도 수산물 백화점

자연산이라는 자부심 하나만으로도
짭조름한 바다의 맛을
즐길 수 있다는 행복감이
아카시아꽃처럼 향기롭게 스며든다

찰캉 찰캉 집게 소리가 경쾌한 꽃게
낚시로 잡아 올려 상처 하나 없는 삼치
꼼지락거리는 문어와 낙지
앉으려고 하면 일어서라는 서대
저기 좀 보라고 호들갑 떠는 조기
은빛 몸매 미스 코리아 뺨치는 갈치
주둥이가 둔해도 맛이 좋은 민어
납작하고 둥그스름하게 잘생긴 병어
손질해서 간편한 새우살과 바지락살

나로도 바다는

어부가 물결 이랑마다 그물을 심는 듯
푸른 밭이 자꾸만 출렁거린다
나로도 바다는 우주를 품고 있다
그리움으로 짜디짜게 절인 소금꽃 몇 송이
잠시 피었다가 금방 질 때마다
바다의 선율은 갈매기 울음소리로 자꾸
두근두근 떨리고 있다, 오선지의 중간에서
음표가 되어 곡을 연주하는 어선
심은 그물 가득 물고기가 주렁주렁 달려
출렁거림의 흙에서 그물을 캐는 어부
땀방울이 바닷물처럼 짜기만 하는데
간이 딱 맞기라도 한 듯 얼굴에 뜬 보름달
수확을 기다리며 한창 밝게 익어간다
덫에 걸린 짐승처럼 파닥거리는 물고기
아직은 날것으로 비리디비린 사랑을
작고 동그란 주둥이로 뻐끔거리고 있다
나로도 바다는 혓바닥처럼 날름날름!

숲에서는 새가 태어난다

아침마다 산통 같은 지저귀는 소리와 함께
숲에서는 새가 태어난다
내 귓불을 간지럽히는 푸른 나무의 기운
노을이 카펫처럼 펼쳐진 풍경을 뒤로하고
맹양네 포도가 알알이 익어가고 있다
비 온 뒤라 구름이 엉거주춤 기어다닌다
별똥은 별을 손질하는 외계인의 실수인가
낯설지 않은 푸름 속에서 꺼내온 새
하루는 그 자리에서 빙빙 맴돌다 돌아간다
이치에 어긋난 안내 방송이라도 들린 듯
몇 시간 동안 꽃 속에서 헤매는 향기
처음 간 그 길 위에서 멈추고 마는 사랑
산통을 박살 내는 여름날의 매미 울음소리
가로등에서 탐스럽게 잘 익은 빛을 딴다
흐르는 어둠 소리를 들으며 잠에 빠져들고
그 순간마다 개구리는 실컷 울어주었다
은하수를 바코드 기계에 인식하고 싶은 밤

골목의 시인

외진 골목을 들어서는 시인
그 사람도 외지다
축 처진 어깨는 앵무새 한 마리
앉아 있지 않아 공허함이 감돌고 있다
어느 집 울타리를 늘어지게 붙잡고
하소연하는 덩굴장미를 본다
가로등처럼 우두커니 서서 그림자가 된다
참새 몇, 골목대장을 제비뽑기한다
저녁이 다가올수록 그 사람은
많은 어둠을 긁어모아야만 했다
그림자를 주차하는 밤이 오고 있었다
콩고물처럼 떨어지는 가로등 불빛
공중전화 부스에는 기다림이 텅 비었고
산타 같은 우체통이 사라진 지 오래,
골목의 시인은 오늘도
낡은 벤치에 앉아 허기진 시를 썼다
밤하늘에 반짝반짝 타이핑되는
저 맑은 눈동자에서 떨어진 것 같은,
눈물 한 방울에 젖은 시구(詩句)

나무도 버팀목이 있는데

나무도 버팀목이 있는데 나 하나는
언제나 버팀목이 하나도 없나 보다
기다린 세월이라도 보상받고 싶은데

너라는 별을 보러 밤사이 나왔건만
단 한 번 눈빛일랑 비추지 않는구나
버티고 버틴 자리는 그 흔적만 남아서

나로도 경양 선구점

전라남도 고흥군 봉래면 축정2길,
쇠로 만든 여러 가지 물건 같은 철물이나
배에서 쓰는 물건 같은 선구
없는 것 빼고 다 있는 나로도 경양 선구점

귀걸이 같은 금낭화 핀 것처럼
주렁주렁 달린 물건들이
앙증맞다, 선반에 가지런히 올려진
물건들은 누가 누가 사 갈까, 하고
문밖을 곁눈질로 보는 것 같다

지나가던 포근한 봄바람도
필요한 물건이 있는지
꽃향기 가득 실린 다소곳한 몸짓으로
살랑살랑 둘러보다 가기도 한다

폐선

쪽방촌 같은 모래사장 한쪽에 배 한 척
낡고 군데군데 페인트칠이 벗겨져
세월이라는 바다로부터 짜디짠 시름을
미역 줄기처럼 한 움큼 건져 올린다
어버이날인데도 그 흔한 카네이션 하나
가슴에 달고 있지 않은 저 허름한 배는
그동안 앞으로만 나아가느라
별처럼 셀 수 없이 허우적거렸을 텐데
잘못 떠다닌 것도 아닌 무수한 풍랑 속
경험과 환상을 모조리 잊게 해 주는
한 알의 명약이라도 어디 있지 않을까
녹슬어 이제는 거동하기도 힘든 모습
모래가 서걱서걱 반짝거리는 쪽방촌에
윤슬 같은 고급 승용차가 멈추더니
선물 꾸러미를 한 아름 손에 들고 내린다
익명의 독지가는 카네이션도 가져와서
물결치는 쪽방촌 폐선의 안부를 살핀다

봄밤

누가 치약처럼 어둠을 짜 놓고 갔을까
흥건하게 젖어 물감처럼 번지고 있다
잠의 저 너머에서 천막을 치고 앉아서
내 기억의 자물쇠를 열려고 애쓴다
바람은 대나무밭을 지나가는 듯
서럽게 윙윙거린다, 애타는 이 마음은
정리하지 않은 서랍과 같을 것이다
넥타이처럼 어둠이 목을 휘감고 있다
채 열리지 않은 기억이 문틈 사이로
두리번거리고 있다, 까만 염소똥 같은
어둠 속으로 무리 지어 뛰어든 별들
반짝반짝 자맥질하는 소리 들려온다
밤하늘에 문신처럼 새겨진 달에서
발작이라도 하듯 빛이 쏟아지고 있다
바늘귀를 통과하는 실처럼 지는 별똥별
새벽잠도 안 자고 다녀간·닭 울음소리
낮에 잃어버린 뿔 나팔을 길게 불고 싶다

구름

저 하늘
누군가가 흘리고 간 흔적의
구름이 둥실 떠서
간간이 그리움을

촉촉이 머금고 있다
새 한 마리 쓱, 닦는

노을을 낚는 낚시꾼

갯바위에 등대처럼 서서
낚싯대를 드리우고 소금꽃이 지기를
기다리는 듯! 물고기처럼
꼬리지느러미를 철썩거리는 바다
이걸 낚아 올리면 입이 떡 벌어지는 대물?
수평선으로 젖은 노을이 걸쳐지는데
그쪽을 향해 낚싯줄을 던진다
어서 물기만을 잠잠이 기다리는 눈빛
노을은 자꾸 물러앉으며 놀리기만 한다
결국 낚싯바늘에 덜컥, 걸려
수면을 엉금엉금 기어 오는 노을
바다는 물감을 풀어놓은 것처럼 물들었다
바다 저쪽에서 바다 이쪽으로 건너오는
노을의 무게가 가볍지만은 않은 듯해도
멸치처럼 몰려다니기 좋아하는 것 같다
갈매기 울음소리만 가만히 들어도
허기가 진 듯 챙겨 온 도시락을 먹는다
꽃향기처럼 바다 향이 넘실거린다

안동 시골 찜닭

경상북도 안동시 번영길,
안동 구 시장(舊市場) 걷다 보면 찜닭집이
왜 그리도 많은지, 찜닭 골목 여기저기
찜닭 간판이 빛을 발하고 있다

발걸음이 점점 느려지더니
눈동자는 휘둥그레지고
입가에 달라붙은 침이 마를 새 없이
또다시 입안 가득 침이 고이는

안동찜닭골목 맛집, 안동 시골 찜닭

간장 양념을 깔끔하게 차려입어
맛있게 보이는 철판 찜닭
철판에는 또 볶음밥이 딱 제격이지

쪼림닭을 낮달 접시에 내놓은 듯
밤마다 빛이 깃들일 것 같다

의자

바람이 꺼내 놓은 구름처럼
그 사람은 의자를 꺼내 나무 그늘에 놓는다
가만히 앉아서 먼 산을 지그시 보며
날아가는 새를 눈동자에 넣는다
굽신거리지 않을 것 같은 키가 큰 나무도
바람이 불어오면 굽신굽신 고개를 숙인다
어느 봄날 오후는
서서히 서녘 하늘에 돗자리를 펼친다
마을 앞 정류장에서 내려 골목길을 걷는
나이 지긋하신 부부의 휜 허리
낮에 나온 달 같다, 새소리는 산산조각
거울처럼 깨져 파편처럼 튕겨 나간다
의자는 그 자리에 그대로 놓고
어디론가 가볍게 몸만 빠져나가는 그 사람
다시 새로운 아침이 밝아오는 듯!
파닥파닥 돌담을 뛰어다닌다, 저 희망
따사로운 마음 건네주는 봄 햇살

돌배나무 한 그루가 마당에 서 있는 집

그 집 마당에는
첫사랑 같은 돌배나무 한 그루가
우두커니 서 있다, 고백하건대
나는, 숟가락과
젓가락이 만나는 것을 보고 싶지 않다
구름처럼 가벼워지고 싶다
새처럼 훨훨 자유로울 수 있다면
돌배처럼 단단해질 수 있을까?
아카시아 한 그루 아래
향기에 기대어 여름을 부르고 있다
포근하다 못해 갈수록 뜨거워지는 집
밤마다 달은 익어가는데
비처럼 내리는
별똥별은 너의 눈물인가, 쉼 없이
걸어오다 보니 너무나 멀어졌다
밤에 구정물처럼 함부로 쏟아버린 어둠
그 깊이가
헤아릴 수 없이 깊디깊다

흐린 날

흐린 날, 길에 남겨진 것들은
모두 모두 하나같이 흐려집니다
눈빛도 마음도 흐려져
깎아 올려진 손톱 같은 낮달
속으로 빛을 게워 내고 있습니다
저녁 늦게 방문한 바람은
그 흔한 노크도 없었습니다
날은 자꾸 어두워지려고만 합니다
흐려진 순간, 찬란했던
순간순간을 기억하고 있습니다
파노라마가 되어 기차처럼 떠납니다
마음은 소리 없이 환절기로 바뀌고
소스라치게 놀란 가로등 불빛은
지나간 시절의 흐린 울상을 짓습니다
눈물은 위에서 아래로 떨어지고
나는, 아래에서 위를 올려다봅니다
흐린 날 장미 한 송이 건네주고 간 사람
그의 뒷모습에 등꽃이 환하게 피어
흐리디흐린 나를 비춰 주고 있습니다
동전을 쏟아놓은 듯 별이 반짝거립니다

그 사람 눈동자에도 저 별이 있습니다
몇 개월간 해가 지지 않는 나라가 있다면
나에겐 언제나 그 사람이 지지 않습니다

비는 누구를 만나러 내려오는가

비는 누구를 만나러
서툰 몸짓으로 보슬보슬 내려오는가
나의 아픔은 흔적도 없이
지워지고 또 어디론가 불어갈 것이네
고갯길을 넘어가는 바람의 노래
나는 비 내린 야외 영화관에 앉아 있네
두꺼비가 우는 강가에서
나도 같이 강물 같은 눈물 흘리며
한동안 울음소리 흘려보내고 싶기도 한데
당돌한 나무는 한없이 흔들리고 있네
비는 놓고 간 바람 소리라도 찾으러 왔나
은하수 원고지에 별이 촘촘하게 쓰여
누군가의 연애편지처럼 반짝거리네
마음속에 피어난 장미를 꺾어가려고 하네
내게 단 한 송이뿐이라서 비를 내리네
내려도 만날 수 없는 인연이라네

밥 생각, 잡생각

밥 생각 저리 가고 잡생각 이리 온다
갈 테면 빨리 가고 올 테면 빨리 와라
길디긴 하루가 멀다 다시 짖는 동네 개

이 생각 이리 오고 저 생각 저리 간다
사랑도 한 번 하면 어디로 오고 간다
이왕에 산책이라도 나비처럼 가 볼까

배불뚝이 산초 같은 그대 앞에

과대망상에 빠져 허우적거리긴 해도
나 돈키호테는
배불뚝이 산초 같은 그대 앞에
멋지게 백마 탄 왕자는 아니라도, 비루먹은
조랑말 로시난테를 타고
해가 뜨는 듯 짠, 하고 나타날 것이오
나처럼 보잘것없지만
인내심도 좋고 근성이 있는 녀석이라오
튤립 병정을 앞세우고 떡하니 버티는
저 풍차 거인을 물리칠 힘도 내게는 있소
이래 봬도 우리 둘은
사랑하기 위해 모험을 할 수 있다오
저 많은 사람에게 자유를 찾아주자고요
자, 지문이 소용돌이치고
손금이 비처럼 내리는 제 손을 잡아주세요
이제 우린 사랑을 영업하는 동업자라오
순천 와온 해변에 저녁노을을 깔고 앉아서
어둠 한 잔 나누며 반짝반짝 속삭여 봐요

맥도날드 거리의 낮달

맥도날드 거리의 낮달은
빛을 채우지 않은 텅 빈 잔 같아
그날 밤을 기억하는 것인지
국수처럼 비가 주룩주룩 내리다가
도저히 안 되겠다, 싶었는지
금세 그친 밤을 또다시 기다리고 있다
바람이 떠돌아다니는 이 땅에서
누굴 기다린다는 것은
아무래도 스산한 일이기에
늦어져도 빈 잔을 채우고 싶은 듯
우리들의 맥도날드 거리에서
대나무처럼 자라며 걷는 사람들
새벽까지 들려오는 희미한 별의 숨
그 반짝반짝 소리에 눈 마주친다
별이 녹기까지 얼마나 기다려야 하나!

은하수 강가를 거니는 달의 눈물

달빛이 뚝뚝 떨어진다
은하수 강가를 거니는 달의 눈물이 흐른다
프로필도 없어
어디 내놓을 명함 한 장 없다, 달빛이
서서히 줄어드는 동안
은하수 강가에 앉아 달에 빛을 채우고 싶다
서럽디서러운 내 눈물의
본적지는 아마도 저 달의 어디쯤인 것 같은데
곳곳에 내린 얄미운 빗물 따라
나는 또 어디를 흐르듯 걸어가고 있는가
자르는 선을 긋는 것처럼 별똥별이 떨어진다
접시꽃에 제철 과일을 담아 돌리는 시간
외벽을 닦는 담쟁이넝쿨을 본 적이 있는데
그물을 드리우고 뱃노래에 빠진 어부
건져 올리지 못한 음표가 가사를 까먹게 한다
한가로운 밤에 은하수 강가를 걷는 달의
눈물이 나뭇가지에 걸려 뚝뚝 떨어지고 있다
찔레는 꽃을 피워 같이 울어주기도 하는데
가면 갈수록 그게 더 부담스러운 것이다
지나간 추억의 향기를 쫓아갈 수만 있다면

외로운 창가에 기대어 마음이 와장창 깨진다
책 바깥에는 소리 없이 비가 다녀가고
축축하게 스며든 빗물에 서늘하기만 하다
순간 뇌리를 스치는 사랑의 메아리

소

북 하나가 있다

누가 북을 두드리는가

늙은 바람 소리

북채를 거머쥐더니

음매 음매

천지에 울리는 북소리

지나간 쓰라렸던 나날을

되새김질하라고

우려내는 뼈저린 아픔

날개 달린 것들은 모두 날아가려고 한다

마음이 자꾸만 돌팔매질하고 있다
길은 어디로 이어져서
어딘가로 걸어가고 싶은 것인가
길에 관한 시를 쓰다가 그대로 드러누워
잠자던 시절이 생각나는 걸까
농담 한마디 지저귀지 않고 날아간 새
어릴 적에는 가는 길목마다 거미줄이 쳐져
걸어가는 것보다 달려가는 것이
무척이나 좋았었다, 지금 생각해 보면
그날 밤하늘에 반짝거렸던 것은 전부 다
너의 눈빛이었으면 하던 변명 아닌
닭살 돋는 사랑도 서슴지 않았다
가다, 가다 쉬어 가는 둥실둥실 구름에
아무렇게나 부려버리는 노을 한 짐
정류장은 버스를 떠나보내고 물끄러미
바라다보는 눈빛이 애처롭기만 한데
길 밖에서 길 안으로 피어나는 이름 모를 꽃
내 사랑은 잴 수 없을 정도로 자란 걸까
날개 달린 것들은 모두 날아가려고 한다

또 다른 우주

또 다른 우주가 있다면
그것은 나 아니면 너, 우리 둘 중 하나
한밤중 닭처럼 꼿꼿이
마른 풀잎처럼 하늘을 올려다보면
수많은 별의 꽃이 피어났다
은하수 해변의 모래를 밟는 듯한 소리
반짝거리고 있다
가뭄에 마른 강바닥처럼
그대 마음에는 내가 들어가 있지 않아
아침마다 거울 앞에서 또 다른 나를 만든다
그래, 나는 무중력 상태로 우주가 되었다
간밤 눈가에 촉촉한 빗방울이 맺혔고
그 열매는 행성이 된 것처럼 둥그스름했다
달이라는 저 항아리는 그리운 고향 섬
어느 시골집 마당에 버티고 있을 것인데
기다림! 또한 내게는 절실한 일이다
별이 져서 떨어지는 것처럼

눈물

밤하늘에서 떨어지는 별똥별이
너의 눈동자에서도 떨어진다
방울방울 옥구슬처럼 맺혔다가
나에게로 오는 너를 기다리는 동안
기다렸다는 듯 잠깐 피었다가 떨어진다
비바람이 불다 간 공터는 폐허가 되어
꽃다운 꽃조차 찾아볼 수가 없는데
너의 맑고도 맑은 눈동자에서
순간의 꽃이 활짝 필 때가 다 있다
아무렇게 널브려 놓을 수 없는 꽃이기에
내 소원이 다 보이는 투명한 꽃병에
다슬기가 사는 1급수를 넣고 꽂아 놓아
가끔 그 곁에 가만히 서서
커피 한 잔의 여유를 즐기곤 한다

나로도 헤밍웨이 횟집

전라남도 고흥군 봉래면 진터길,
소설 《노인과 바다》를 쓴 헤밍웨이와
같은 이름으로
코앞에서 파도를 펼쳤다 접는
바다의 고독한 사투를 바라보며 서 있는
헤밍웨이 횟집

저녁에 지는 노을처럼
얇게 저민 회 한 접시에 사르르 녹는
하루의 고단함이 철썩거리고 있다
단편 같은 맛의 언어가 꿈틀꿈틀!
이런 맛, 그 어디에서도 느껴볼 수 없으니

푸른 바다는 지우지 못한다,
한 끼의 짭조름한 맛을 기억하느라
사람들은
바쁘게 출렁거리고 있다

손톱 깎는 초저녁 동안

손톱 깎는 초저녁 동안
아주 잠깐 손톱 같은 달이 떠 있다
음력 초하룻날부터 며칠 떴다가
금방 사라지는 달이기에
사랑하는 사람 같은 생각이 드는 순간
문득 그리워진다

손톱 같은 달이 떠나간 깊은 밤
제철인지,
은하수 가지마다 별들이 익어가고 있다
새벽이 가까워져 오는 시간

고요함이 동행하여 밤바람을 맞는다
소금처럼 짜디짤 것만 같은
은하수의 반짝반짝 탐스러운 저 열매,
바람이 불 때마다
풀잎이 돌아앉아 서운함을 감춘다

눈빛과 눈빛은 서로 충돌하기만 하면
시리디시린 사랑 쪽으로 기울어 간다

식당 앞 구름 공장

식당 앞 구름 공장 공장장 어디 갔나
근로자 몇 사람만 구름을 만들었네
먹구름 꾸역꾸역 몰려
곧 비라도
내릴 듯!

홍옥 같은 석류꽃이 환히 켜진 석류나무

홍옥 같은 석류꽃이 환히 켜진 석류나무
정말로 곱디고운 한 그루의 저 수줍음!
자태의 성숙한 아름다움 가득하여 쏠리는

내 고향 거금도 금산 주조장

태어난 다음 달에 아버지 돌아가시고, 이모 손에 이끌려
고향 섬을 떠나온 갓난아기 시절의 기억은 아예 없을 뿐이다.
이모부 호적에 성도, 이름도 다르게 나이도 원래
1987년생인데, 1988년생으로 나로도에서 학창 시절을 보냈다.
고교 졸업 후, 원래 호적으로 바꾸느라 무진장 고생했었다.
그 고향 섬이 꿈에도 그리워 한두 번 찾아가다 보니 금세
정이 들어 어느 날 주말에 적대봉 등산하면서 환경 정화도
했다. 나 떠나고 3개월여 만에 돌아가셨다는 친할머니의
얼굴은 사진으로나마 봤는데, 아버지 얼굴은 아직 모른다.
가정의 달만 되면 고향 섬이 더 그리워진다.

전라남도 고흥군 금산면 거금중앙길,
금산 주조장 가는 길 걸으면
생 유자 향기가 벌써 코를 지독하게 만든다
음주는 가문의 위기라도 되는 듯
술은 입에도 잘 안 대는 성격이라서 그런지
이 길을 걸으면 금세 해롱해롱해져
참새가 가수라도 된다는 것처럼 손뼉 쳐 준다

고흥의 유자 막걸리 원조라고
다들 금산 주조장을 추천하는데

나는 그저
생 유자즙 하나면 세상 다 가진 것처럼
유자 향기 주섬주섬 챙겨 들고 간다

오늘은 왜일까?
나도 모르게 상남자가 된 것 같다
낮달 잔 잃어버릴까 봐
구름이 잔뜩 지키고 있다

수국은 여름을 싣고

수국은 여름을 싣고 땀을 뻘뻘 흘린다
간이역에서는 잘 멈추지 않고
징검다리처럼 띄엄띄엄 흘러가는 저 구름
그만 길을 벗어나고 만 빛을 잃은 낮달
생선을 만진 중매인의 손에서는
바다를 떠난 생선의 그리움이 피어난다
해가 헤엄치고 노는 저녁노을은
예약하지 않고서는 아무나 놀 수 없는 곳
기다림의 끝은 언제나 풀꽃이 피어
데칼코마니 같은 나비가 향기를 쫓는다
거금도 신촌 브루 카페 가는 길에는
향수(鄕愁)가 스멀스멀 기어다니고 있다
전라남도 고흥군 봉래면 사양리
쑥섬 마을 봉우리 정원에는 여름이면
수국 상들리에가 마을을 환하게 밝혀 준다

찔레꽃

찔레나무 옆에서 이별하고
여인의 저 눈물 다 떨어지는 날
우리 한 번이라도 마주칠까
시름시름 사랑을 앓던 무명초 같은
나날만 한 그릇씩 떠다 놓는다
새벽녘에야 잠에 빠져든 어깨에
별똥별처럼 황홀함이 스쳐 지나간다
울어 주는 새소리를 밖에 세워 놓고
순백의 가녀린 저 눈물 아까워라
풀잎처럼 수줍음은 드러눕는다
한 마리의 새처럼 자연스러운
바람은 여인을 향한 한량무인가
한 올 한 올 찔레꽃 바람에 흘린다

꽃집

아름답고 향기로운 그대를
한 송이 또는 한 아름씩 사 가는 사람들
나는 그대에게 값을 매길 수 없네
아무것도 바라지 않는 나에게
이루 말할 수 없는 향기를 주는 그대
헤어지기도 전에 향기부터 울컥,
쏟아놓는 그대의 마음은 헤아릴 수 없네
그것은 어쩌면 밤하늘을 수놓는
한줄기의 은하수라고 해도 과하지 않네
누추한 내 마음에 그대를 모시고
커피 한 잔에 반짝반짝 눈빛 나누면
흐르는 시간 어디로 흘러가는지도 몰라
물감처럼 번지는 향기 같은 사랑
내 마음의 정원에 그대를 심어 가꾸네
이제 나는 꽃집에 굳이 가지 않아도
그대 마음의 따뜻한 체온을 느낄 수 있네
그동안 텅 비어 황량함만 감돌았는데
지금은 꽃에 물을 주는 재미로 살아가네
내게도 이런 흡족한 일이 다 있네

아카시아 향기가 내리는 거리에서

아카시아 향기가 악기를 연주하듯
은은하게 내리는 거리
그 거리를 길고양이처럼 무뚝뚝하게 걷는
남자가 있다, 너무 늦게라도
그녀를 만나러 무작정 가는 길인가?
표정도 지우고 잔뜩 울상인 얼굴
화창한 날씨와는 영 딴판이다
아카시아는 이를 드러내며 환하게 웃는데

어딘지 익숙한 향기에 젖은 거리
촉촉한 그 거리를
누군가와 손잡고 걷는다면 나 또한
추억이 스며 젖어 들 것 같다
산마루에 해가 걸터앉아
문어가 먹물을 뿌리기라도 하는 것처럼
어스름 저녁 길을 만들고 있다

곧 별을 뿌리는 농부가 다녀가겠다
겨우 슬그머니 내 안에 싹이 부쩍 자라나는
사랑의 씨앗,

아카시아 향기가 두리번거린다

유리 바다여, 유리 바다여

아무리 크리스털처럼 맑거나
투명하거나
영롱하더라도 내게는
도저히 그렇게 보이지 않는구나

폭풍우가 몰아치면
너는 머리뼈가 함몰되듯
두 쪽으로 갈라져 청군과 백군처럼
아우성을 지르며
자꾸만 철썩거리고 있구나

사람들이 던져 주는 새우깡을
넙죽넙죽 잘도 받아먹는 갈매기가
새우를 못 잊어
너의 마음을 쪼아 노을이 지는 순간
장밋빛으로 물드는구나

언제까지 잠잠하지 못하고
방정맞은 행동을 서슴지 않을 것이냐?
유리 바다여, 유리 바다여

혼자 가는 길 위에 홀로 피어난 풀꽃

혼자 가는 길 위에 홀로 피어난 풀꽃
나는, 나비 한 마리처럼
나풀나풀 꽃잎을 쓰다듬고 있다
잔잔한 바람의 물결 바쁘게 지나가는 동안
철썩거리는 아픔에 물거품이 일렁거린다
마음속에 초대하고 싶어도
선뜻 용기가 나지 않는 그런 사람이 있다
그동안에 이 가녀린 풀꽃은 어떤 손을
몇 날 며칠 기다리고 또 기다렸을까, 싶은데
하늘색 꿈으로 가득한 저 가난한 대문
채 꽉 잠그지 않아 새어 나오는 웃음소리
구름처럼 가만가만 서서 한동안 듣고 있다
이 떨리는 가슴 부둥켜안고
살아온 지난날들을 보상받고 싶지는 않다
잠깐이라도 붙박이별처럼 멈춰 있다가
또다시 걸어가고 싶은 길인 것이다
금 간 마음이라도 민들레가 피어나기에
나 또한 피어날 수 있지 않을까?
그래, 내 시에는 마침표가 하나 없는 거다

꽃병

꽃병에 꽂힌 꽃들
피아노 건반 같아

두드리면 향기의 소리
아낌없이 쏟아진다

우리 둘 사랑 하나로는
간직할 수 없는 것들

보성 갯마을 횟집

전라남도 보성군 회천면 우암길,
율포 솔밭 해수욕장의 파도 소리 기웃거리는
갯마을 횟집

눈물처럼 짜디짠 바다 맛이 그리울 때
속이 다 시원해지는 물회 한 그릇
먹고 나면 하루 정도는 기운이 넘쳐난다

회덮밥 한 그릇에 포만감이 끼룩거리고
주꾸미 무침 한 접시에 날아갈 것 같다

쓰러진 소도 벌떡,
한순간에 일어난다는 낙지가 들어간
낙지 연포탕 한 냄비 펄펄 끓는다

저 바닷가에서

물고기들이 단체로 수련회 하는
저 바닷가에서
갈매기 교관은 끼룩끼룩
반쯤 녹슬어 끼룩거리는 호각을 불고 있다
푸른 이불 철썩거리기만 하더니
어부의 그물질에 그제야 펄쩍펄쩍 일어난다
비몽사몽 속에 일찍부터 조깅하느라
짜디짠 땀방울이 온몸에 열매처럼 맺힌다
가엾기만 한 그들을 하나하나 위로해 주면서
어부는 하루의 조업을 마친다
처연함의 깊디깊은 곳이라면 바다가 아닐까
모든 것이 경이롭기만 한 저 푸른 바다는
구름에 반쯤 가려진 낮달이 내려와서
투명한 물의 숲길을 가볍게 산책하기도 한다
늦봄의 저녁은 커튼 자락처럼 펄럭이며
실루엣의 물결을 한 벌 짓고 있다

모래시계 간이역

발　행 | 2024년 5월 22일
저　자 | 정민기
펴낸이 | 한건희
펴낸곳 | 주식회사 부크크
출판사등록 | 2014.07.15.(제2014-16호)
주　소 | 서울 금천구 가산디지털1로 119, SK트윈타워 A동 305호
전　화 | 1670 - 8316
이메일 | info@bookk.co.kr

ISBN | 979-11-410-8576-6